Leyenda de la china poblana

EDICIONES TECOLOTE

Primera edición: 2013

Coedición: Ediciones Tecolote, S.A. de C.V.
        Consejo Nacional para la Cultura y las Artes
        Coordinación Nacional de Desarrollo Cultural Infantil-Alas y Raíces

© del texto, Pascuala Corona
© de las ilustraciones, Ana Piñó

Ilustraciones, gráfica y diseño: Ana Piñó,
Mónica Solórzano
Fotografía portada: Tachi

D.R. © 2013, Ediciones Tecolote, S.A. de C.V.
General Juan Cano 180,
Colonia San Miguel Chapultepec,
C.P. 11850, México, D.F.
5272 8085 / 8139
tecolote@edicionestecolote.com
www.edicionestecolote.com

D.R. © 2013, Consejo Nacional para la Cultura y las Artes
Coordinación Nacional de Desarrollo Cultural Infantil-Alas y Raíces
Avenida Paseo de la Reforma 175, Col. Cuauhtémoc,
C.P. 06500, México, D.F.
www.conaculta.gob.mx

ISBN 978-607-9365-01-1, Ediciones Tecolote
ISBN 978-607-516-499-1, CONACULTA

Impreso en los talleres de Digital Color Proof, S.A. de C.V.,
ubicados en Francisco Olaguibel No. 47, Col. Obrera, Delg. Cuauhtémoc,
C.P.06800, México, D.F.

Leyenda de la china poblana

Contada por
Pascuala Corona
Ilustraciónes y gráfica
Ana Píñó • Mónica Solórzano

Colección **Por memoria**

Las lentejuelas, como fragmentos
de estrellas, brillan luminosas
sobre el castor de lana escarlata
de la china poblana, aprisionadas
por pequeñitas cuentas
de vidrio de misteriosa belleza.

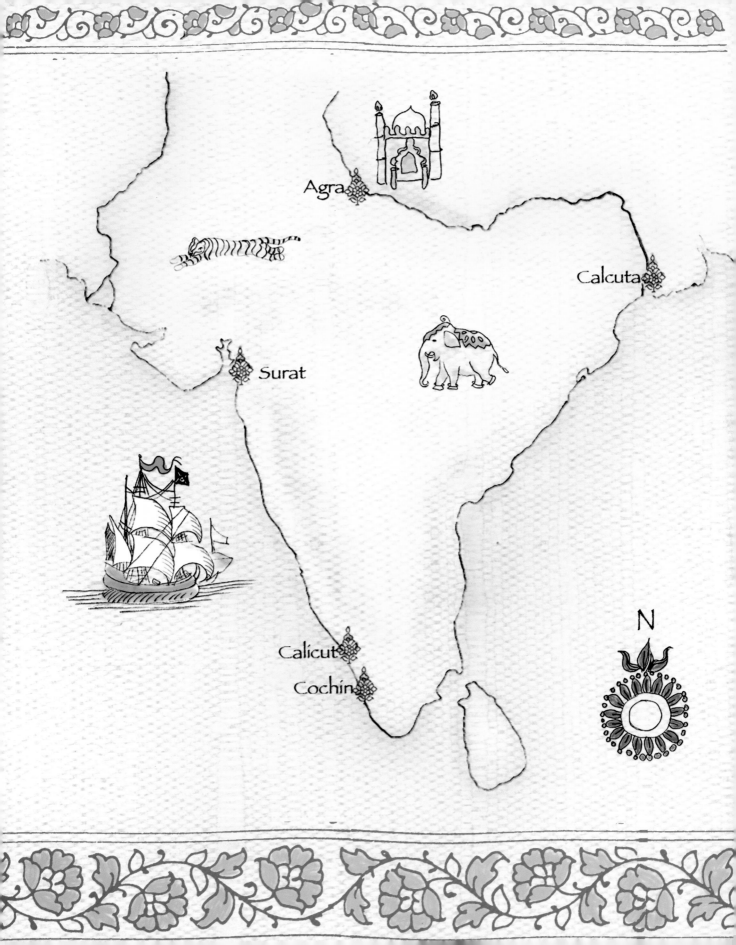

Agra

Calcuta

Surat

Calicut

Cochin

N

Hace mucho tiempo en una ciudad de la India llamada Agra reinaba la dinastía del Gran Mogol, donde nació la princesa Mirrah. A causa de una guerra sus padres se la llevaron a vivir a Surat, allí la niña descubrió el mar y pasaba las horas haciendo castillos de arena y recogiendo conchas y caracoles que guardaba en su paliacate.

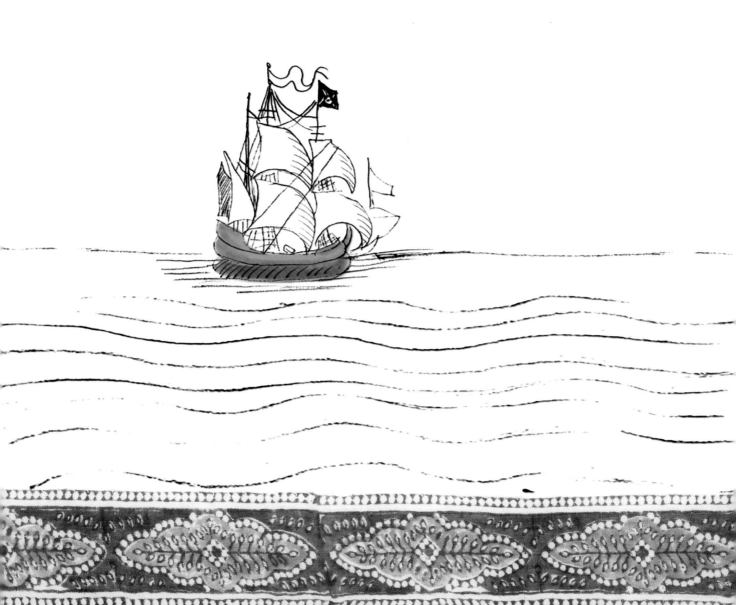

Cierto día, una lancha llegó a la playa y de ella saltaron dos piratas robachicos que en un abrir y cerrar de ojos atraparon a la princesita y se la llevaron a un barco en el que ondeaba una bandera negra. Al anochecer, la nave levantó anclas y se hizo a la mar rumbo al puerto de Cochin, en la costa de Malabar, donde tenían su guarida los piratas.

Ahí, Mirrah se encontró con otros niños que también habían sido robados. La princesa era la más bonita, por eso todos los piratas querían quedarse con ella. Como no se ponían de acuerdo decidieron que fuera para el que ganara en un juego de baraja, pero ninguno quería perder y empezaron a pelearse. Entonces, un viejo pirata con pata de palo y un parche en el ojo, queriendo terminar con el pleito le lanzó a Mirrah su puñal, pero sólo alcanzó a lastimarle una pierna. Al verla herida, los piratas se compadecieron de ella y corrieron a buscar a un padre jesuita que vivía en un convento cercano. El jesuita además de curarla aprovechó la oportunidad para hacerla cristiana y bautizarla con el nombre de Catarina de San Juan.

De Cochin, los piratas se dirigieron a Manila para vender a los niños, pues supieron que había llegado la Nao de la China, un galeón que desde 1573 navegaba cada año desde la Nueva España, nombre que entonces daban a México. La nave venía con un gran cargamento para el gobernador español, quien dependía del virrey. Traía plata en barras y en monedas acuñadas de 4 y 6 reales, y escudos de oro que circulaban en Filipinas; añil y grana cochinilla, colorante carmesí de mucho valor. También paños de lana, vinos españoles, aceite de oliva y semillas de cacao.

Entre los comerciantes que llegaron en el galeón para comprarles a los chinos del mercado del Parián mercancías orientales, estaba uno que traía el encargo del virrey de la Nueva España, don Diego Carrillo y Pimentel, de conseguirle una esclava chinita de buen parecer y gracia para doña Juana, su esposa, así que acudió al mercado de esclavos de Manila, donde los piratas habían llevado a los niños para venderlos. El comerciante, deslumbrado por los grandes ojos negros y la piel morena clara de Catarina, la compró enseguida.

Para protegerla durante la travesía, la disfrazó de niño, por lo que le quitó su sari y las pulseras de marfil que adornaban sus brazos y tobillos. En el barco la princesita se encontró con otros viajeros que en su mayoría hablaban en "castilla", así pudo aprender un poquito de español durante el largo viaje.

Pasados varios meses llegaron finalmente al puerto de Acapulco. El comerciante dejó a Catarina en la hostería del convento de los frailes dieguinos y se fue a la feria que siempre se hacía cuando arribaba el galeón. Allí se vendía todo lo que traían de Oriente: tibores y vajillas de porcelana; biombos, sedas, indianillas y pañuelos de algodón; abalorios o chaquiras de Cantón y lentejuelas de Malaca; especies, arroz, semillas de tamarindo y de mango de Manila, y muchas cosas más que se llevaban a la capital cargadas en mulas guiadas por arrieros.

Tras recoger su mercancía, el comerciante y Catarina se encaminaron a la Ciudad de los Palacios. Al llegar, él se enteró de que el virrey ya se había regresado a España; entonces aprovechó para vendérsela al capitán poblano Miguel de Sosa, quien andaba buscando una esclava para su esposa Margarita Chávez. Así fue como por azares del destino la princesa hindú llegó a vivir a Puebla de los Ángeles.

La belleza y dulzura de Catarina conquistaron el corazón de doña Margarita, quien la vistió con el mismo lujo que acostumbraban hacerlo las damas de la época cuando salían a pasear con sus lindas esclavas. Le puso una camisola con mangas de rico lienzo de Holanda, una enagua de seda o de indiana finísima recamada con randas de oro y plata, un ceñidor tejido con hilos de oro y un rebocillo corto para que dejara lucir su talle. Además, la engalanó con collares y pulseras de perlas y aretes de piedras preciosas.

Cuando se quedaban en casa, Catarina vestía sencillamente y aprendía todo lo que doña Margarita le enseñaba. Lo que más le gustaba era estar en la cocina, batir el chocolate con el molinillo para sacarle espuma y servirlo en un pocillo de loza de talavera poblana. Un día que fue al mercado se alegró al ver que vendían paliacates, pues le recordaron su tierra, así que compró algunos para hacerse unas enaguas. Como le quedaron cortas les puso un trozo de tela amarilla en la parte de arriba para alargarlas; se veían tan alegres y bonitas que las mestizas se las copiaron.

El tiempo pasaba y Catarina era feliz, se había acostumbrado a la vida en la Nueva España, pero una noche, de repente, murió el capitán Sosa. Doña Margarita, apesadumbrada, decidió pasar los últimos días de su vida en un convento, así que le dio a Catarina su libertad y le entregó las joyas con las que la adornaba cuando salían de paseo, comunicándole que la dejaba al cuidado del padre Pedro Suárez. Para protegerla, el padre le propuso que se casara con Domingo, un esclavo chino al que apreciaba tanto que le había dado su apellido. Catarina se asustó y lloró mucho, pues no quería casarse con nadie. Y aunque al final aceptó, por obediencia, en realidad nunca se sintió casada porque durante la ceremonia no le pusieron en la frente el bindi rojo, señal de esposa, como lo llevaba su madre, Borda.

TO THE PARENT
What an accomplishment it is to count to 100, and
what an eye opener it will be when your child realizes
that there are many different ways to get there! This book
is a fun introduction to the idea that numbers can be
grouped into units—like fives, tens and twenty-fives.
Learning to manipulate numbers is important groundwork
in improving math skills. Have fun!

100 Days of School

By Trudy Harris   Art by Beth Griffis Johnson

THE MILLBROOK PRESS   BROOKFIELD, CONNECTICUT

To Jay
T. H.

With love to my husband,
Nolden. And . . . in memory of
a wonderfully gifted instructor
and friend, Dwight Harmon.
B. G. H.

Library of Congress Cataloging-in-Publications Data
Harris, Trudy.
100 days of school / Trudy Harris: illustrations by Beth Griffis Johnson.
p.   cm.
Summary: A series of rhymes illustrates different ways to count to 100 such as by adding the
ten toes of ten children or ninety-nine train cars plus one caboose.
ISBN 0-7613-1271-4 (lib. bdg.) ISBN 0-7613-1431-8 (pbk.)
1. Addition—Juvenile literature. 2. Hundred (The number)—Juvenile literature. [1. Addition.
2. Hundred (The number) 3. Counting.] I. Johnson, Beth Griffis, 1967–   ill. II. Title.
QA115.H38   1999
513.2'11[E]—dc21   98-18952   CIP   AC
Text copyright © 1999 by Trudy Harris
Illustrations copyright © 1999 by Beth Griffis Johnson
All rights reserved
Printed in the United States of America

Published by The Millbrook Press, Inc.
2 Old New Milford Road
Brookfield, CT 06804
Library 10 9 8 7
Paperback 10 9 8 7 6 5

If you go to school for 95 days, and then go 5 more days, what do you get?

Smarter and smarter.

And . . .

(how cool)
100 DAYS OF SCHOOL!

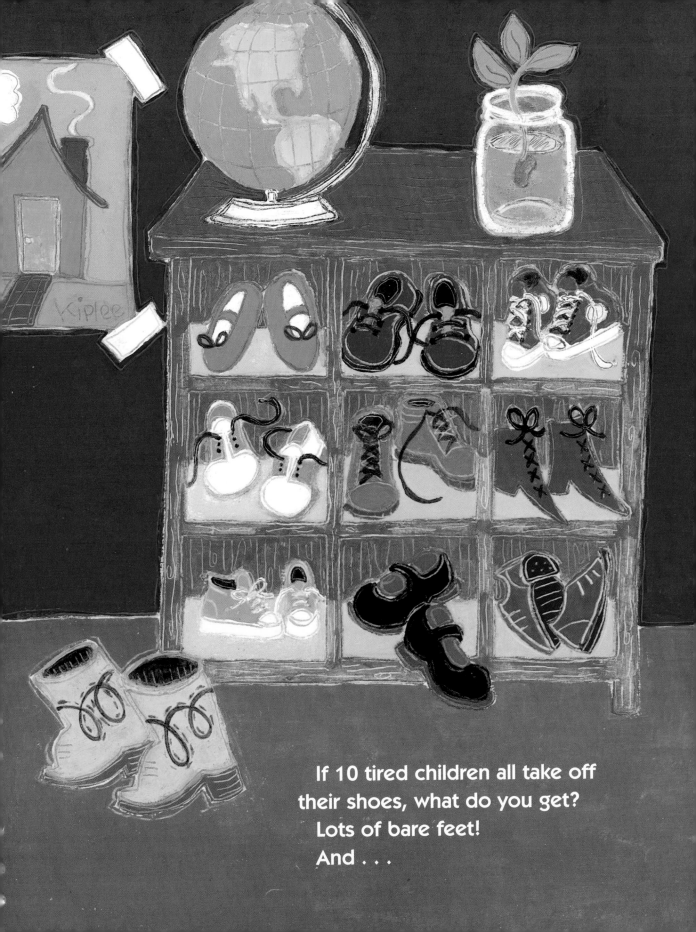

If 10 tired children all take off
their shoes, what do you get?
Lots of bare feet!
And . . .

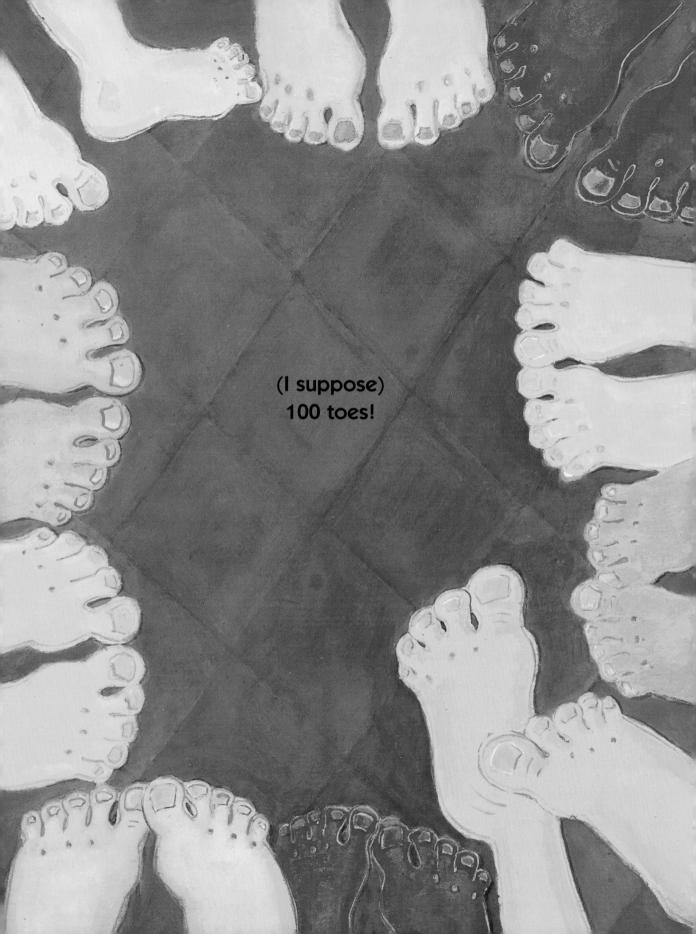

(I suppose)
100 toes!

If you find a tiny bug with
50 legs on one side and 50 on
the other, what do you get?
100 legs.
And . . .

(yes, indeed)
a centipede.

If 20 children each
drop 5 papers on the
floor, what do you get?
100 papers.
And . . .

(I would guess)
an awful mess.

If you eat 10 salty peanuts every minute
for 10 minutes, what do you get?
100 peanuts.
And . . .

(big mistake)
a tummy ache!

If 99 dots are on a clown's suit, what do you get?

100 polka dots. Those . . .

(on his clothes)
plus 1 on his nose.

If 25 bees fly out of a hive, then 25 more and
25 more and 25 MORE, what do you get?
100 bees.
And . . .

(no surprise)
some exercise!

If you put 10 candles on a birthday cake,
and then add 90 more, what do you get?
100 candles.
And . . .

If every day you save
1 penny for 100 days,
what do you get?
100 pennies!
Or . . .

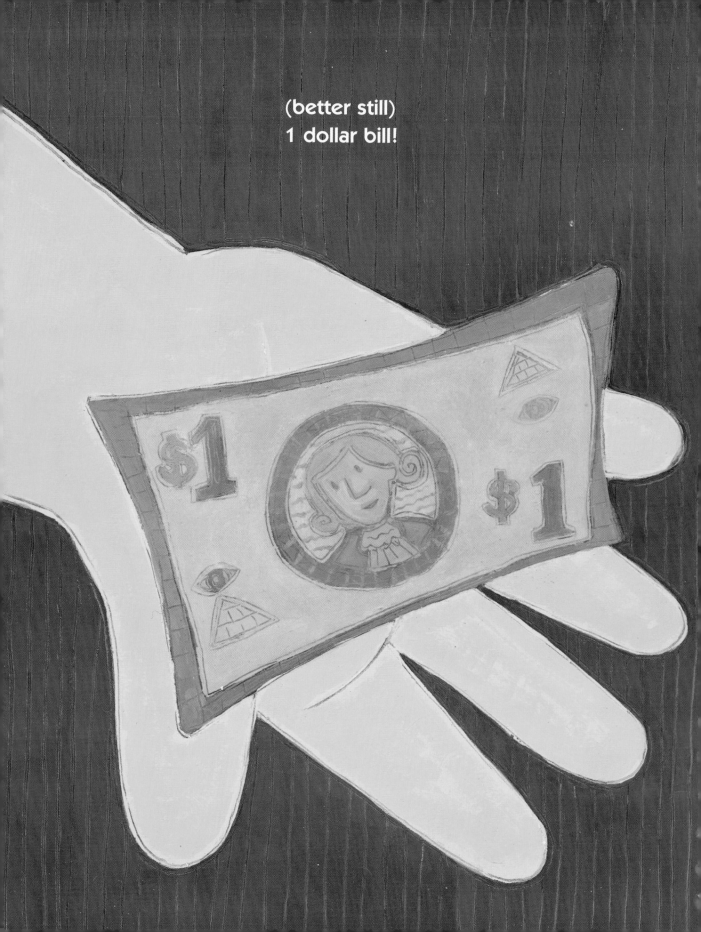

If a train goes by with 99 cars and then 1 red caboose, what do you get? 100 cars.
And . . .

(my friend)
the end!

LWN 12/05 EZ-NF